C000060126

Conception graphique : zaoum

Casterman, 1999

ISBN 2-203-14265-0

Imprimé en CEE. Dépôt légal : mai 1999 ; D. 1999/0053/76
Déposé au ministère de la Justice, Paris (loi n° 49.956 du 16 juillet 1949 sur les publications destinées à la jeunesse)

Claudia Bielinsky

Qu'est-ce que tu aimes?

casterman

À Julian et son papa

J'aime bien…

Marcher tout seul,

et aussi avec Papa.

Courir tout seul dans le vent,

et aussi avec Toby.

Aller tout seul à l'école,

et aussi que Maman vienne me chercher.

Faire de la peinture tout seul,

et aussi avec mes copains.

Manger tout seul,

et que Maman me coupe ma viande.

Jouer tout seul dans ma chambre,

mais pas être
tout seul pour la ranger.

J'aime bien regarder la télévision tout seu

et de temps en temps avec Papa...

Parfois, j'aime bien boire au biberon.

Mais pas quand Toby est là...

J'aime que tous mes amis
viennent à mon anniversaire,

mais il n'y a que moi qui ouvre mes cadeaux.

J'aime faire du vélo sans les petites roues,

si Papa n'est pas trop loin…

J'aime bien aller dormir chez Toby,

mais je préfère que Nounours
vienne avec moi.

J'aime bien m'habiller tout seul,

et que Maman m'aide pour les boutons.

J'aime bien bricoler tout seul,

et aussi avec mon petit frère.

J'aime mettre mon anorak tout seul,

et que Grand-Mère
vienne se promener avec moi.

J'aime bien me doucher comme un grand,

et aussi prendre un bain
avec mon petit frère.

J'aime bien regarder mes livres tout seul,

mais j'adore quand Grand-Père
me lit une histoire.

J'aime bien être tout seul dans mon lit,

et j'adore les câlins du dimanche matin.

J'aime bien être grand avec les petits,

et aussi être petit avec les grands.

J'aime bien être tout seul,

et aussi être avec vous tous !